Mon quartier
L'école

Aaron Carr

Weigl

Publié par Weigl Educational Publishers Limited
6325 10th Street SE
Calgary, Alberta T2H 2Z9
Site web : www.weigl.ca

Catalogage avant publication de Bibliothèque et Archives Canada

Carr, Aaron
[School. Français]
    L'école / Aaron Carr.

(Mon quartier)
Traduction de: The school.
Publié en formats imprimé(s) et électronique(s).
ISBN 978-1-77071-950-7 (relié).--ISBN 978-1-77071-951-4 (livre numérique multiutilisateur)

    1. Écoles--Ouvrages pour la jeunesse. I. Titre. II. Titre: School.
Français.

LB1513.C3714 2013   j371   C2013-904641-0
                                             C2013-904642-9

Imprimé à North Mankato, Minnesota, aux États-Unis d'Amérique
1 2 3 4 5 6 7 8 9 0 17 16 15 14 13

072013
WEP120613

Coordonnatrices de projet : Heather Kissock et Megan Cuthbert
Conceptrice : Mandy Christiansen
Traduction : Tanjah Karvonen

Dans notre travail d'édition nous recevons le soutien financier du gouvernement du Canada par l'entremise du Fonds du livre du Canada.

L'école

Table des matières

Ceci est mon quartier.

Mon école est
dans mon quartier.

Je vais à l'école pour apprendre de nouvelles choses.

À l'école, je vois mes amis et mes enseignants.

Mon enseignant(e) m'aide à apprendre.

J'apprends à lire,
à écrire et à faire
des mathématiques.

Mon école a plusieurs outils pour m'aider à apprendre.

Quelques-uns des outils dont je me sers sont les tableaux, les livres et les ordinateurs.

Dans la salle de classe, j'ai un pupitre où je peux faire mon travail de classe.

J'écoute aussi des histoires et je fais de l'artisanat.

Il y a un grand gymnase dans mon école.

C'est là que je cours et que je fais du sport.

C'est aussi au gymnase que j'assiste à des conférences données par des gens de mon quartier.

Mes parents viennent au gymnase pour me voir participer à des pièces de théâtre et à des concerts.

Mon école invite parfois les gens de mon quartier pour des événements.

$4.50

$1.50
per slice

Mon école organise des ventes de pâtisseries, des danses et des matchs sportifs.

Il y a plusieurs choses amusantes que je peux faire après l'école.

Je peux jouer dans une équipe de sports ou joindre un club de l'école.

Vous voyez ce que vous avez appris sur les enseignants et les écoles.

Laquelle de ces images ne montre pas les activités à lécole ?